André BELLECOURT F

AERONAUTICS
(HQ : Chicago)

Rudi GESSNER CH

BANKS
(HQ : Luxemburg)

Cathy BLACKMAN US

WINCH FOUNDATION
(HQ : New York)

OIL
(HQ : Caracas)

Largo WINCH US

EXECUTIVE MANAGEMENT
(HQ : New York)

ROUP
NCH

E. JARAMALE MEX

SUPERMARKETS
& DEPT STORES
(HQ : Düsseldorf)

MINING &
METALLURGY
(HQ : Stockholm)

Georg WALLENSTEIN FRG

Leonard SCOTT SA

LES TROIS YEUX DES GARDIENS DU TAO

PHILIPPE FRANCQ   REPÉRAGES   JEAN VAN HAMME

DUPUIS

Les personnages et les noms de sociétés
cités dans ce récit sont fictifs.
Toute ressemblance avec des personnes
ou des entreprises existantes ne serait que pure coïncidence.

Celui qui dit qu'un homme ne doit pas pleurer
ignore ce qu'un homme veut dire.

Yasmina Khadra
(*L'Attentat*, Éditions Julliard)

Retrouvez **Largo Winch** sur :
http://www.largowinch.com

Couleurs : Fred Besson.

Dépôt légal : mars 2007 — D.2007/0089/43
ISBN 978-2-8001-3861-9 — ISSN 0777-1843
© Dupuis, 2007.
Tous droits réservés.
Imprimé en France par Pollina - n° L20802.
www.dupuis.com

BEIJING* MINISTÈRE DE L'ADMINISTRATION GÉNÉRALE DE L'AVIATION CIVILE.

VOTRE DOSSIER SEMBLE RÉPONDRE POINT PAR POINT AUX NORMES DE LA DIRECTIVE DVT 5 DU PLAN, MONSIEUR BELLECOURT.

* PÉKIN.

VOUS SIGNEREZ LE PROTOCOLE D'ACCORD AVEC LA TSAI INDUSTRIES CORP. DANS DIX JOURS À HONG KONG.

JE VOUS REMERCIE, MONSIEUR LE MINISTRE.

EN PRÉSENCE DE M. WINCH, NATURELLEMENT.

JE NE SAIS PAS SI...

NOUS SAVONS QUE VOUS AVEZ LES PLEINS POUVOIRS POUR NÉGOCIER NOTRE ACCORD, MONSIEUR BELLECOURT. MAIS NOUS NOUS SENTIRIONS OFFENSÉS SI MONSIEUR WINCH NE VENAIT PAS LE SIGNER EN PERSONNE. L'AFFAIRE ME PARAÎT SUFFISAMMENT IMPORTANTE.

M. WINCH SERA CERTAINEMENT SENSIBLE À L'HONNEUR QUE VOUS LUI FEREZ DE L'ACCUEILLIR, M. TSAI. À DANS DIX JOURS, DONC.

D'APRÈS NOS RENSEIGNEMENTS, CE WINCH N'EST PAS UN HOMME ORDINAIRE.

VOUS CROYEZ QU'IL SE LAISSERA PRENDRE AU PIÈGE ?

C'EST UN OCCIDENTAL ROMANTIQUE, IL SE JETTERA DROIT DANS LA NASSE. ET NOUS LE MANIPULE- RONS COMME UNE MARIONNETTE DE BU DAI XI*.

* SPECTACLE DE MARIONNETTES TRÈS POPULAIRE EN CHINE.

LES CHINOIS EXIGENT QUE LARGO VIENNE EN PERSONNE SIGNER NOTRE ACCORD. À HONG KONG, DANS HUIT JOURS EXACTEMENT.

ET COMME CHAQUE ANNÉE, LARGO EST PARTI SE RÉFUGIER PENDANT DEUX SEMAINES DANS SON JARDIN SECRET.

NOUS SOMMES SUR LE POINT D'ABOUTIR, MAIS IL Y A UN HIC.

EH BIEN, IL N'Y A QU'À L'EN SORTIR. VOUS SAVEZ CERTAINEMENT OÙ IL SE TROUVE, JOHN.

NEW YORK, DEUX JOURS PLUS TARD.

NON. C'EST L'ENDROIT OÙ LE VIEUX NERIO VOYAIT SON FILS ADOPTIF UNE FOIS PAR AN POUR L'INSTRUIRE DES ARCANES DU GROUPE. PERSONNE CHEZ NOUS N'A JAMAIS SU OÙ C'ÉTAIT.

BON SANG, SULLIVAN, C'EST TOUT L'AVENIR DE NOTRE DIVISION AÉRONAUTIQUE QUI EST EN JEU !

MISS PENNYWINKLE, M. WINCH A UN PORTABLE COMME TOUT LE MONDE ET VOUS AVEZ CERTAINEMENT SON NUMÉRO.

EXACT ...

MAIS QUAND IL PART... EUH... LÀ-BAS, MONSIEUR WINCH LAISSE SON PORTABLE DANS MON BUREAU. IL NE VEUT EN AUCUN CAS ÊTRE DÉRANGÉ, QUOI QU'IL ARRIVE, NI QU'ON PUISSE LE LOCALISER.

MAIS CE GAMIN EST COMPLÈTEMENT INCONSCIENT !!... SON GROUPE POURRAIT S'ÉCROULER ET MONSIEUR NE VEUT PAS ÊTRE DÉRANGÉ ! ON N'AURAIT JAMAIS VU ÇA DU TEMPS DE NERIO WINCH, NOM D'UN WARRANT !

OVRONNAZ ...

CE BON À RIEN D'OVRONNAZ DOIT SAVOIR OÙ SE TROUVE SON AMI. JE L'APPELLE TOUT DE SUITE.

TWILILI TWILILI ...

ALLO? PENNY-WINKLE À L'APPAREIL. M. OVRONNAZ, JE VOUS PRIE.

MISS... MISS PENNY-WINKLE!? ...

MISS APFELMOND!?! QU'EST-CE QUE VOUS FAITES LÀ!?

MAIS...HEU...JE... COMME JE N'AI TOUJOURS PAS TROUVÉ D'APPARTEMENT, SIMON, ...HEU...M. OVRONNAZ M'A PERMIS DE...

MMH...JE PRÉFÈRE NE PAS IMAGINER LA MANIÈRE DONT VOUS VOUS ACQUITTEZ DE VOTRE PART DE LOYER... M. OVRONNAZ EST LÀ?

NON, IL EST EN VOYAGE ...

EN FRANCE, JE CROIS, DANS UN ENDROIT QUI S'APPELLE ST TRIPETTES, ST TROLLEY OU QUELQUE CHOSE COMME ÇA.

SAINT-TROPEZ?

C'EST ÇA, OUI, ST-TROPÉ. JE NE SAIS PAS OÙ C'EST ET

AUCUNE IMPORTANCE. IL A UN PORTABLE, JE SUPPOSE? OUI? DONNEZ-MOI SON NUMÉRO.

JE... JE NE SAIS PAS SI JE PEUX ...

C'EST UN ORDRE, MISS APFELMOND!

TRÈS BIEN, MERCI. TÂCHEZ D'ÊTRE À L'HEURE AU BUREAU DEMAIN.

PARFAIT, JE L'APPELLE TOUT DE SUITE.

EN FRANCE, IL DOIT ÊTRE UNE OU DEUX HEURES DU MATIN.

OVRONNAZ NE DOIT PAS ÊTRE DU GENRE À SE COUCHER TÔT.

HELLO, VOUS ! JE PEUX VOUS OFFRIR QUELQUE CHOSE ? JE M'APPELLE SIMON.

J'AI DÉJÀ UN VERRE, MERCI.

EN VACANCES DANS LE COIN ?

EN QUELQUE SORTE.

MOI AUSSI, JE SUIS ICI POUR ME REPOSER. VOUS COMPRENEZ, APRÈS AVOIR ÉTÉ PRÉSIDENT D'UNE COMPAGNIE AÉRIENNE AUX BAHAMAS, J'AI ÉTÉ LA VEDETTE D'UN FEUILLETON TÉLÉ À SAN FRANCISCO ET...

BONSOIR, JENNY.

EXCUSE-MOI DE T'AVOIR FAIT ATTENDRE. ON Y VA ?

...

SALUT, SIMON.

HEU... SALUT, SILKY. QU'EST-CE QUE TU...?

♪♫♪

ALLO ?... JE N'ENTENDS RIEN ...C'EST TOI, CHOUPETTE ?

.....

NON, CE N'EST PAS CHOUPETTE, C'EST ...

UN INSTANT, JE SORS...

CE CHER DWIGHT COCHRANE ! QUE SE PASSE-T-IL, MONSIEUR L'ADMINISTRATEUR ? ON VOUS A ENCORE MIS EN PRISON POUR FRAUDE FISCALE ?

....

BON, BON, NE VOUS FÂCHEZ PAS.

....

QUOI ? DEMANDER À LARGO DE VOUS CONTACTER D'URGENCE ? JE NE SAIS PAS SI ...

OK., ÇA VA, D'ACCORD. MAIS DEMAIN. LES PIGEONS, ÇA DORT LA NUIT. SALUT !

LES PIGEONS !?...

ALORS, LARGO, CONTENT DE TOI ?

COMBIEN VAUX-TU À PRÉSENT ? QUINZE MILLIARDS DE DOLLARS ? VINGT ? PAS MAL POUR UN PETIT ORPHELIN YOUGOSLAVE, TU NE TROUVES PAS ?

JE SUPPOSE QUE ÇA T'AMUSE DE JOUER AU REDRESSEUR DE TORTS EN RENDANT TA JUSTICE PERSONNELLE. ET J'ADMETS QUE JUSQU'À PRÉSENT, ÇA NE T'A PAS TROP MAL RÉUSSI. TU AS EU DE LA CHANCE. BEAUCOUP DE CHANCE.

MAIS À CE JEU-LÀ, TU N'ES ENCORE QU'UN AMATEUR, MON GARÇON. BIENTÔT, TU AURAS EN FACE DE TOI DES ADVERSAIRES AUTREMENT PLUS REDOUTABLES QUE CEUX DONT TU AS TRIOMPHÉ JUSQU'À PRÉSENT. DES PRÉDATEURS-NÉS QUI NE S'EMBARRASSENT D'AUCUNE LOI NI D'AUCUN SENTIMENT.

JE NE SUIS PAS CERTAIN QUE LA VOIE QUE TU AS CHOISIE SOIT CELLE À SUIVRE DANS CE MONDE AUQUEL JE T'AI FAIT ACCÉDER. CAR UN JOUR VIENDRA OÙ TU LE PAIERAS CHER. MAIS TANT PIS, C'EST TON CHOIX. BON COURAGE, MON FILS.

...NE ME LAISSEZ PAS, JE NE SUIS PAS AUSSI FORT QU'ON LE CROIT.

MONSIEUR, NE...

SI J'EN CROIS L'APPEL GSM QUE NOTRE SATELLITE A INTERCEPTÉ CETTE NUIT...

...ÇA VA ÊTRE LE MOMENT, TIENS-TOI PRÊT.

SILKY, SORS DE CETTE SALLE DE BAINS ! JE SUIS PRESSÉ.

?!?!

SALUT !

TU PEUX PRENDRE LA SALLE DE BAINS, SIMON.

MOI, JE VAIS ME RECOUCHER. JE NE SAIS PAS POURQUOI, JE ME SENS UN PEU FATIGUÉE.

!?!

BONJOUR, M. OVRONNAZ. TOUT VA COMME VOUS VOULEZ ?

NON. ENFIN, OUI... OÙ SONT LES PIGEONS ?

JE LES AI MIS LÀ-HAUT POUR NE PAS GÊNER LES CLIENTS. RIEN DE GRAVE, J'ESPÈRE ?

J'EN SAIS RIEN. JE DOIS JUSTE PRÉVENIR LARGO D'APPELER SA BOÎTE DE TOUTE URGENCE. ÇA NE VA PAS LUI PLAIRE. MAIS BON, COMME JE NE SUIS QUE LE GARÇON DE COURSES...

N'EST-CE PAS UN PEU ANA-CHRONIQUE, À NOTRE ÉPOQUE, D'UTILISER ENCORE DES PIGEONS VOYAGEURS ?

LE PROBLÈME DE NOTRE ÉPOQUE, AMI DIRECTEUR, C'EST PRÉCISÉ-MENT QU'AUCUN DES MOYENS DE COMMUNICATION MODERNES N'EST À L'ABRI DES FOUINEURS EN TOUS GENRES.

NOUS EN REVENONS DONC AUX BONNES VIEILLES MÉTHODES ANCESTRALES QUI...? HÉ ! IL EN MANQUE UN !

LARGO VOUS AVAIT BIEN CONFIÉ DEUX PIGEONS, NON ?

EN EFFET, MAIS JE NE VOIS PAS QUI...

VOTRE CUISTOT, PEUT-ÊTRE, POUR LE METTRE AU PLAT DU JOUR. OU UN DE VOS CLIENTS, AMATEUR DE ROUCOULEMENTS POUR BERCER SES NUITS.

JE FERAI FAIRE UNE ENQUÊTE.

C'EST ÇA : LE MYSTÈRE DU PIGEON PERDU, UNE PASSIONNANTE ENQUÊTE DE L'INS-PECTEUR COLUMBO.

ALLEZ, HOP ! MESSAGE ENVOYÉ !

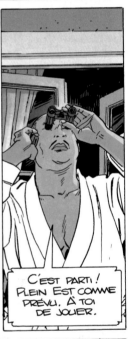

C'EST PARTI ! PLEIN EST COMME PRÉVU. À TOI DE JOUER.

9

À TRÈS BIENTÔT, MONSIEUR WINCH.

TOUJOURS PAS DE NOUVELLES ?

NON. JE DOUTE D'AILLEURS QUE LARGO ACCEPTE D'ALLER EN CHINE,...

... QUEL QUE SOIT L'ENJEU.

8

POURQUOI ?

JE CROIS QU'IL Y A QUELQUES ANNÉES, IL A EU DES PROBLÈMES AVEC LES CHINOIS AU TIBET.

ILS L'ONT MÊME MIS EN PRISON POUR JE NE SAIS QUELLE RAISON. ET SI J'AI BIEN COMPRIS, IL A RÉUSSI À S'ÉVADER.

C'ÉTAIT DANS SON AUTRE VIE, JOHN. ET HONG KONG N'EST PAS ENCORE TOUT À FAIT LA CHINE.

PEUT-ÊTRE. MAIS IL Y A UN RISQUE QU'IL NE VOUDRA SANS DOUTE PAS COURIR.

DIS-MOI, MON GROS OURS, TOI AUSSI, COMME COCHRANE, TU REGRETTES LE TEMPS DE NERIO ?

JE NE SAIS PAS. LES CHOSES ÉTAIENT PLUS NORMALES, C'EST ÉVIDENT, PLUS DURES AUSSI. MAIS J'AI DE L'AFFECTION POUR CE GAMIN. AU FOND, MÊME S'ILS S'OPPOSAIENT, JE CROIS QUE NERIO LUI MANQUE. IL N'A JAMAIS EU DE VRAI PÈRE.

SI TU VEUX MON AVIS, JOHN, CE GAMIN COMME TU DIS, EST LA CHOSE LA PLUS FORMIDABLE QUI SOIT ARRIVÉE AU GROUPE DEPUIS FORT LONGTEMPS. ALLEZ, HOP, À LA SALLE DE BAINS, MONSIEUR LE CONSEILLER EN CHEF ! IL EST TEMPS D'ALLER TRAVAILLER.

TU DOIS ÊTRE FATIGUÉ, TOI. QUELLE CATASTROPHE ES-TU VENU M'ANNONCER ?

!?

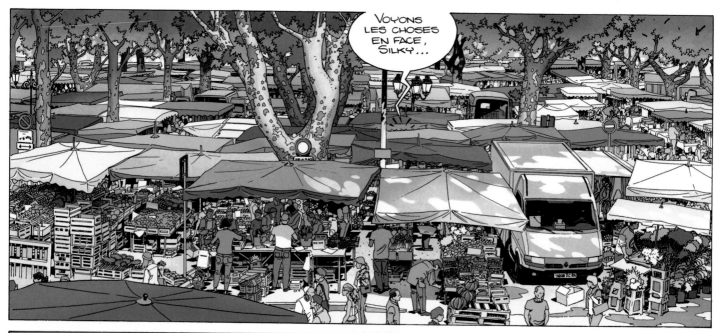

VOYONS LES CHOSES EN FACE, SILKY...

TU ES PETITE, CHINOISE, MOCHE ET FAUCHÉE. NOUS NE SOMMES ICI QUE DEPUIS UNE SEMAINE ET TU EMBALLES LES PLUS JOLIES FILLES DU COIN À UN RYTHME DE LAPINE AU PRINTEMPS. C'EST QUOI, TON TRUC ?

D'ABORD, ESPÈCE DE SUISSE OBTUS, JE NE SUIS PAS CHINOISE MAIS AMÉRICAINE. ENSUITE, JE NE SUIS PAS MOCHE. MAIS SURTOUT, J'AI LE ZANG.

LE ZANG ?...

C'EST QUOI, ÇA, LE ZANG ?

CE QUE TU N'AS PAS. COMBIEN, LA CHEMISE ?

18 EUROS.

CASHMERE ET...

AH, SILKY...

JE TE CHERCHAIS PARTOUT. ON Y VA ?

J'ARRIVE, MA CHÉRIE.

SOIS GENTIL, SIMON, RAPPORTE TOUT ÇA À L'HÔTEL. ON SE VOIT POUR LE DÎNER. ENFIN... PEUT-ÊTRE.

Lisa

Birdie

JE VIENS D'APPRENDRE QUE WINCH A PRIS CE MATIN LE PREMIER VOL ZURICH-NICE. CE N'ÉTAIT PAS PRÉVU. DISPARAISSEZ, VOTRE MISSION EST TERMINÉE.

LE ZANG ?...

AH, SIMON, ENFIN TE VOILÀ.

LARGO !?... QU'EST-CE QUE TU FAIS ICI ?

?

TE DEMANDER DES EXPLICATIONS À PROPOS DU MESSAGE QUE TU M'AS ENVOYÉ.

LIS.

« JE CHERCHE À HONG KONG CE QUE VOIENT LES TROIS YEUX DES GARDIENS DU TAO. »

QU'EST-CE QUE C'EST QUE CE CHARABIA ? CE N'EST PAS CE QUE JE T'AI ÉCRIT.

JE M'EN DOUTE. ALORS, QUI ?

MM. TIAN QIZHANG ET HOU HSIAO, SUITE "RIVIERA". ILS SONT TOUJOURS LÀ, MAIS ILS VIENNENT DE DEMANDER LEUR NOTE ET... AH, JUSTEMENT LES VOILÀ ...

J'EN SAIS RIEN, MOI. TOUT CE QUE JE SAIS, C'EST QU'UN DE TES PIGEONS A ÉTÉ VOLÉ ET...

COMPRIS, ANTOINE, VOUS AVEZ EU DES CLIENTS CHINOIS À L'HÔTEL ?

!! ??

SIMON, OCCUPE-TOI DE LUI !

15

J'AI PU CONTOURNER LA JETÉE ET SORTIR DE L'EAU DERRIÈRE LES MAISONS AU BOUT DU PORT SANS ÊTRE VU PAR LES FLICS PUIS REVENIR ICI À PIED EN ÉVITANT LE VILLAGE. JE CROIS QUE PERSONNE NE M'A RECONNU. ET ICI, COMMENT ÇA C'EST PASSÉ ?

LE CHINOIS EST MORT ET LA POLICE A EMBARQUÉ LA PAUVRE DAME QUI L'AVAIT CARAMBOLÉ. MAIS ILS REVIENDRONT DEMAIN MATIN POUR LEUR ENQUÊTE.

JE N'AI AUCUNE ENVIE DE LES ATTENDRE. VOUS LEUR AVEZ PARLÉ DE MOI ?

NON.

RENDEZ-MOI LE SERVICE DE CONTINUER À LE FAIRE, ANTOINE. JE NE PENSE PAS QUE LE TÉMOIGNAGE DE CETTE MALHEUREUSE CONDUCTRICE SUFFIRA À M'IDENTIFIER ET JE NE TIENS PAS À CE QUE LA PRESSE ME MÊLE À CETTE HISTOIRE.

VOUS POUVEZ COMPTER SUR MON PERSONNEL ET SUR MOI, LARGO. LA DISCRÉTION FAIT PARTIE DES RÈGLES DE LA MAISON.

MERCI. RESTE LE PROBLÈME DE FILER D'ICI. OÙ SE TROUVE LE MOWGLI JET, SILKY ?

À L'AÉROPORT D'HYÈRES.

ET MOI ? J'AI RIEN FAIT, MOI, À PART ME FAIRE TABASSER PAR CE MAUDIT CHINETOQUE.

JE VAIS VOUS Y CONDUIRE. LA POLICE ME CONNAÎT. S'IL Y A UN CONTRÔLE, ILS ME LAISSERONT PASSER.

TOI, TU NOUS ACCOMPAGNES.

OÙ ÇA ?

À HONG KONG.

À HONG KONG !? QU'EST-CE QUE TU VEUX QUE J'AILLE FAIRE À HONG KONG !?

C'EST À CAUSE DE TOI QUE JE SUIS EMBARQUÉ DANS CETTE GALÈRE, SIMON ✳. DONC, TU JOUES LE JEU AVEC MOI JUSQU'AU BOUT.

COMMENT ÇA, À CAUSE DE MOI ?

JE T'EXPLIQUERAI.

RELAX, SIMON. J'EN PROFITERAI POUR T'APPRENDRE LE KARATÉ. COMME ÇA, LA PROCHAINE FOIS QUE TU T'ATTAQUERAS À UN MAUDIT CHINETOQUE, TU AURAS PEUT-ÊTRE UNE CHANCE DE NE PAS TE FAIRE MASSACRER.

✳ VOIR L'HEURE DU TIGRE.

18

C'EST STUPIDE DE T'ÉVERTUER À NIER. NOUS SAVONS QUE TU ES COUPABLE.

JE NE COMPRENDS RIEN À CE QUE VOUS ME DITES, JE SUIS VENU AU TIBET EN TOURISTE. MON VISA EST EN RÈGLE ET...

ASSEZ!

TU N'ES QU'UNE SALE PETITE VERMINE CAPITALISTE! EMMENEZ-LE DANS LA COUR!

JE SUPPOSE QUE TU RECONNAIS CE VIEUX DÉBRIS?

C'EST... C'EST PARLANG KHEE, UN SAINT HOMME...

UN SGOM-CHEN, UN ERMITE MÉDITANT. POURQUOI L'AVEZ-VOUS ARRÊTÉ? IL NE PRÊCHE QUE LA PAIX ET L'HARMONIE DU MONDE.

TES PAROLES S'ENVOLENT EN VAIN, LARGO.

TU PARLES À UNE PIERRE ET LES PIERRES N'ONT PAS D'OREILLES.

19

MES OREILLES SONT EXCELLENTES ET NE DEMANDENT QU'À ENTENDRE. QUE FAISAIS-TU AVEC LUI QUAND NOUS L'AVONS ARRÊTÉ ?

JE VOUS L'AI DÉJÀ RÉPÉTÉ DIX FOIS. PARLANG KHEE M'ENSEIGNAIT LE TANTRAYANA, LA VOIE DE LA DÉLIVRANCE.

LA VOIE DE LA DÉLIVRANCE, VRAIMENT. SAVAIS-TU QUE CE QUE TON SAINT HOMME PRÊCHAIT N'ÉTAIT PAS L'HARMONIE DU MONDE, COMME IL ESSAIE DE NOUS LE FAIRE CROIRE, MAIS LA RÉVOLTE AUX TERRORISTES TIBÉTAINS ? BIEN SÛR, QUE TU LE SAVAIS.

CAR C'EST POUR ÇA QUE TU ÉTAIS AVEC LUI : POUR ENTRER EN CONTACT AVEC CETTE SOI-DISANT RÉSISTANCE ET LUI PROPOSER L'AIDE DES EXPLOITEURS OCCIDENTAUX CONTRE NOTRE AUTORITÉ LÉGITIME AU XIZANG *. TU N'ES QU'UN MINABLE PETIT AGENT ENNEMI, WINCZLAV, OU QUEL QUE SOIT TON VRAI NOM.

C'EST FAUX. JE NE SUIS VENU AU TIBET QUE POUR...

TES MENSONGES NE TE MÈNERONT NULLE PART, JEUNE IMBÉCILE. JE TE PROPOSE UN MARCHÉ : AVOUE ET JE TE RENVOIE SAIN ET SAUF DANS TON PAYS.

JE NE PEUX PAS AVOUER CE QUE JE N'AI PAS FAIT, CAPITAINE.

ALORS, TANT PIS POUR TON SAINT HOMME. TU LE RETROUVERAS AU PARADIS DE BOUDDHA.

NOOOON...

HÉ, LARG', ÇA VA ? RÉVEILLE-TOI, ON ARRIVE À L'ÉTAPE.

* NOM CHINOIS DU TIBET OCCUPÉ.

MONSIEUR WINCH!... NOUS NOUS DEMANDIONS OÙ VOUS ÉTIEZ.

À DUBAÏ, EN STOP OVER POUR HONG KONG. NOUS ARRIVERONS DEMAIN SOIR.

ALLO, PENNY ?

HONG KONG !? JUSTEMENT, MONSIEUR BELLECOURT...

...DOIT Y SIGNER NOTRE ACCORD DE JOINT VENTURE AVEC LA TSAI INDUSTRIES, JE SAIS. SIMON M'A MIS AU COURANT. NOUS SERONS À L'HÔTEL DU GROUPE, LE BLUE LOTUS, VOUS M'Y ENVERREZ LE DOSSIER PAR MAIL.

ÇA IRA, SILKY ? VOUS M'AVEZ L'AIR FATIGUÉE.

LES NUITS DE ST-TROPEZ ET LE DÉCALAGE HORAIRE NE FAVORISENT PAS LE SOMMEIL. MAIS ÇA IRA.

VOUS ÊTES DÉJÀ ALLÉ EN CHINE, PATRON ?

NON.

SAUF SI VOUS CONSIDÉREZ QUE LE TIBET FAIT PARTIE DE LA CHINE.

19

21

TIENS, PRENDS ÇA, SINON
TU VAS CREVER DE FROID.

⁉

MERCI. JE
ME TROMPE
OU TU ES
CHINOIS
?

TAN MING T'SIEN, DE SINGAPOUR.
INUTILE DE TE PRÉSENTER, JE SAIS
QUI TU ES. LES OCCIDENTAUX SONT
RARES DANS LES GEÔLES TIBÉTAINES.

LES CHINOIS AUSSI. QUEL CRIME AS-TU
COMMIS? TU
AS CRACHÉ
SUR LE PETIT
LIVRE ROUGE
?

J'AI FOURNI DES ARMES
AUX NATIONALISTES LOCAUX.
GROS BÉNÉFICES, MAIS
AUSSI GROS RISQUES. ON
NE GAGNE PAS À TOUS
LES COUPS.

MAIS LA PARTIE N'EST PAS
TERMINÉE. MES AMIS ONT
SOUDOYÉ DEUX GARDES ET
DOIVENT ME FOURNIR DES
VIVRES ET DES VÊTEMENTS.

POURQUOI
MOI? TU NE
ME CONNAIS
PAS.

ÇA TE
TENTE
?

PARCE QUE TU ES LE SEUL ICI QUI
SOIT, SANS JEUX DE MOTS, EN ÉTAT
DE MARCHE. ET QU'IL SERAIT SUICIDAIRE
DE SE LANCER SEUL À TRAVERS
L'HIMALAYA.

QU'EST-CE QUI ME
DIT QUE TU N'ES PAS
DE MÈCHE AVEC CE
CHARMANT CAPITAINE
WONG ?

DANS QUEL BUT? TE FAIRE PARLER?
CELA NE CHANGERAIT RIEN AU
SORT QUI T'ATTEND. MOI, JE FILE
D'ICI LA NUIT PROCHAINE.
RÉFLÉCHIS-Y TANT QUE TON
CERVEAU EST EN ÉTAT DE PENSER.

ET C'EST AINSI QUE JE ME SUIS TROUVÉ EN TRAIN DE CRAPAHUTER
DANS LA NEIGE HIMALAYENNE. TAN Y A LAISSÉ UNE JAMBE, MAIS
NOUS AVONS RÉUSSI À
ATTEINDRE LA FRONTIÈRE
INDIENNE.

LE TIBET, ISTANBUL, SAN FRANCISCO...
ÇA COMMENCE À TE FAIRE UN FAMEUX
CASIER DE REPRIS DE JUSTICE, TOUT ÇA.
JE VAIS FINIR PAR ÊTRE JALOUX.

POURQUOI ME RACONTES-TU TOUT ÇA MAINTENANT ?

PARCE QU'INDIREC- TEMENT, C'EST À CAUSE DE CE TAN MING T'SIEN QUE NOUS SOMMES EN ROUTE POUR HONG KONG.

TAN FAISAIT PARTIE D'UNE DES PLUS IMPORTANTES TRIADES CHINOISES. POUR ME REMERCIER DE L'AVOIR PORTÉ JUSQU'EN INDE, IL M'A DONNÉ LEUR PHRASE DE RECONNAISSANCE SECRÈTE.

" JE CHERCHE CE QUE VOIENT LES TROIS YEUX DES GARDIENS DU TAO ", C'EST ÇA ?

EXACTEMENT. C'EST GRÂCE À CETTE PHRASE ET À L'ANTENNE BIRMANE DE CETTE TRIADE QUE J'AI PU TE SORTIR DE MAKILING AVEC MALUNAÏ, PHAÏ-TANG ET LES AUTRES CHANS.

ET MERDE... JE COMPRENDS MAINTENANT. ET AUJOURD'HUI, TU DOIS LEUR RENVOYER L'ASCENSEUR.

J'ÉTAIS PRÉVENU QUE ÇA ME TOMBERAIT DESSUS UN JOUR. LE PROBLÈME, C'EST QUE JE NE SAIS PAS CE QU'ILS VONT ME DEMANDER. ET JE T'AVOUE QUE ÇA ME FAIT PEUR.

ET SI TU REFUSES ?

TU CROIS VRAIMENT QUE J'AI ENVIE DE CONNAÎTRE LA RÉPONSE À CETTE QUESTION, SIMON ? À CÔTÉ DES TRIADES, LA MAFIA PASSERAIT PRESQUE POUR UNE SOCIÉTÉ DE BIENFAISANCE.

MAIS JE SUPPOSE QUE JE SERAI FIXÉ TRÈS BIENTÔT.

BIENVENUE AU BLUE LOTUS, MONSIEUR WINCH. C'EST UN GRAND HONNEUR POUR NOUS DE VOUS ACCUEILLIR DANS CE MAGNIFIQUE FLEURON DE VOTRE DIVISION HÔTELIÈRE.

JE VOUS AI RÉSERVÉ NOS TROIS PLUS BELLES SUITES. SOYEZ ASSURÉ QUE TOUT LE PERSONNEL ET MOI-MÊME...

JE N'EN DOUTE PAS, M. ZHAO. POURRIONS-NOUS DÎNER TÔT ?

NOUS SOMMES ASSEZ FATIGUÉS.

BIEN SÛR, BIEN SÛR... JE VOUS AI RÉSERVÉ LA TABLE V.I.P. DE NOTRE RESTAURANT PLEIN CIEL. AH, OUI, ON NOUS A DÉPOSÉ CE MESSAGE POUR VOUS...

?

C'EST CE BON VIEUX DWIGHT COCHRANE QUI S'INQUIÈTE ?

NON, C'EST UNE INVITATION À DÎNER DE TSAI HUANG. POUR DEMAIN SOIR.

CE QUI ME TROUBLE, C'EST QUE CE MESSAGE A ÉTÉ DÉPOSÉ À LA RÉCEPTION AVANT MÊME QUE NOUS N'ATTERRISSIONS À LANTAU*.

22

* L'ÎLE OÙ EST SITUÉ L'AÉROPORT DE HONG KONG.

TON "TYCOON" A UN BON SERVICE DE RENSEIGNEMENTS, VOILÀ TOUT. TU VAS Y ALLER ?

BIEN OBLIGÉ.

LE MARCHÉ DES AVIONS D'AFFAIRES DANS LES PAYS OCCIDENTAUX EST EN NETTE DIMINUTION. CETTE "JOINT VENTURE" AVEC UN GRAND GROUPE INDUSTRIEL CHINOIS REPRÉSENTE UNE OPPORTUNITÉ À NE PAS MANQUER.

NOTRE DIVISION AÉRONAUTIQUE EST EN DIFFICULTÉ DEPUIS PLUSIEURS ANNÉES, SIMON. ET L'AUGMENTATION DES PRIX PÉTROLIERS N'A RIEN ARRANGÉ.

ILS ACHÈTENT DES AVIONS, LES CHINOIS ? ...

JE CROYAIS QU'ILS ÉTAIENT COMMUNISTES, TOUS ÉGAUX DANS LA DÈCHE.

DISONS QU'ILS SE SONT OUVERTS À L'ÉCONOMIE DE MARCHÉ. CHAQUE ANNÉE, LA CHINE COMPTE UNE CENTAINE DE NOUVEAUX MILLIONNAIRES EN DOLLARS, PLUS DEUX OU TROIS MILLIARDAIRES.

DEPUIS NOVEMBRE 2005, LA COMMISSION DU PLAN ENVISAGE D'AUTORISER L'ACHAT D'AVIONS D'AFFAIRES PAR DES PARTICULIERS, À CONDITION QU'ILS SOIENT FABRIQUÉS EN CHINE. C'EST UN ÉNORME MARCHÉ POTENTIEL. TSAI INDUSTRIES FOURNIT LE TERRAIN ET CONSTRUIRA LES BÂTIMENTS, WINCH AERONAUTICS APPORTERA L'ÉQUIPEMENT ET LE SAVOIR-FAIRE. À 50/50, TOUT LE MONDE Y GAGNE.

MAIS POURQUOI TA BOÎTE PLUTÔT QU'UNE AUTRE ? DES FABRICANTS D'AVIONS, IL DOIT Y EN AVOIR DES CENTAINES EN EUROPE OU AUX STATES.

QUELQUES DIZAINES EN TOUT CAS. JE SUPPOSE QUE C'EST GRÂCE AUX TALENTS DE NÉGOCIATEUR D'ANDRÉ BELLECOURT, LE PATRON DE NOTRE DIVISION. ET AUSSI À NOTRE ARME SECRÈTE.

QUELLE ARME SECRÈTE ? TON BELLECOURT S'EST FAIT ESCORTER PAR UNE BOMBE SEXUELLE ?

LA MISE AU POINT DU MOWGLI III, UN JET D'AFFAIRES À DÉCOLLAGE VERTICAL.

MERCI, MISS.

WAOW ! ÇA VA PLAIRE AUX RICHARDS PLANQUÉS À MONACO, ÇA ...

TO THE TOILETS NOW !

EXCUSEZ-MOI, JE REVIENS.

...

VIDEZ VOTRE VESSIE, WINCH, VOUS N'AUREZ PEUT-ÊTRE PAS L'OCCASION DE LE FAIRE DANS LES PROCHAINES HEURES.

JE CONSTATE SANS PLAISIR QUE VOUS AVEZ SURVÉCU À VOTRE PLONGEON DANS LA BAIE DE St.-TROPEZ. QUE FAISONS-NOUS ?

NOUS SORTONS DISCRÈTEMENT. VOUS RETROUVEREZ VOS AMIS PLUS TARD. SI TOUT VA BIEN.

JE SUPPOSE QUE JE N'AI PAS LE CHOIX ?

NON.

C'EST PARFOIS CHOUETTE D'AVOIR UN COPAIN MILLIARDAIRE, TU NE TROUVES PAS ?

ÇA TE FAIT QUOI DE VENIR DANS TON PAYS D'ORIGINE, SILKY ?

MON PAYS D'ORIGINE, C'EST LE CHINATOWN DE MANHATTAN.

TOUT DE MÊME, C'EST TA RACE, TA LANGUE, TES RACINES ...

JE PARLE LE CHINOIS MANDARIN, SIMON. À HONG KONG, ILS PARLENT LE CANTONAIS.

C'EST PAS LA MÊME CHOSE ?

À PEU PRÈS AUSSI SEMBLABLES QUE LE NORVÉGIEN ET L'ARABE. HEUREUSEMENT, L'ÉCRITURE IDÉOGRAPHIQUE EST LA MÊME. QU'EST-CE QUE TU VEUX MANGER ?

JE SAIS PAS, MOI ... UN STEAK-FRITES BIEN SAIGNANT.

BÉOTIEN, VA! JE TE PROPOSE DE COMMENCER PAR ...

COUCOU, SALOPARD !

?

24

26

MARJAN TEXEL !? QU'EST-CE QUE TU FAIS ICI !?

LA MÊME CHOSE QUE TOI, SUISSE DE MON CŒUR, DU TOURISME. HONG KONG EST TRÈS À LA MODE CES TEMPS-CI.

ON NE PEUT PAS DIRE QUE TU M'AIES BEAUCOUP DONNÉ DE TES NOUVELLES DEPUIS NOS AVENTURES BIRMANES.

TA DERNIÈRE CONQUÊTE, JE SUPPOSE ? PUR PRODUIT DU TERROIR LOCAL, À CE QUE JE VOIS.

PAS DU TOUT ! SILKY SONG EST LE NOUVEAU PILOTE DE LARGO. ELLE EST...

... PARFAITE AU LIT, J'EN SUIS SÛRE. DONC, NOTRE BEAU MILLIARDAIRE EST DANS LES PARAGES. ÇA ME FERAIT PLAISIR DE LE REVOIR, LUI.

...

IL EST AUX TOILETTES ET...

... IL SERA RAVI D'INVITER À DÎNER DEUX MALHEUREUSES HOLLANDAISES AFFAMÉES ET DÉSARGENTÉES.

ASSIEDS-TOI, WILLEKE, CE SONT DES AMIS.

J'AI ÉTÉ NOMMÉE INSPECTEUR PRINCIPAL À LA P.J. D'AMSTERDAM ET WILLEKE EST MA NOUVELLE ADJOINTE. FAUTE DE MECS POTABLES, NOUS PASSONS NOS VACANCES ENSEMBLE.

TRÈS INTÉRESSANT.

TANT QUE J'Y PENSE, JE T'AI TÉLÉPHONÉ À NEW YORK AVANT DE PARTIR ET JE SUIS TOMBÉE SUR UNE CERTAINE MARILYN APPELMOUSSE OU QUELQUE CHOSE COMME ÇA. UNE AUTRE EMPLOYÉE DU GROUPE WINCH, JE SUPPOSE ?

NON ... ENFIN, OUI ... JE ... JE VAIS T'EXPLIQUER ...

DESCENDEZ !

BONSOIR, M. WINCH. VOUS SAVEZ QUI NOUS SOMMES, NATURELLEMENT.

NATURELLEMENT.

EN BIRMANIE, NOUS AVIONS CONCLU UN ACCORD. ÊTES-VOUS PRÊT À TENIR VOS ENGAGEMENTS ?

OUI. EN ESPÉRANT QUE VOUS N'ALLEZ PAS ME DEMANDER D'ASSASSINER QUELQU'UN.

NOUS AVONS DU PERSONNEL POUR CELA, M. WINCH. CE QUE NOUS ALLONS EXIGER DE VOUS, VOUS SEUL POUVEZ Y PARVENIR.

NOUS VOULONS QUE VOUS NOUS APPORTIEZ CE QUE VOIENT LES TROIS YEUX DES GARDIENS DU TAO.

26

CE SERA TOUT
...
VOUS POUVEZ RETOURNER AUPRÈS DE VOS AMIS.

JE NE COMPRENDS PAS.

C'EST NORMAL, MAIS VOUS COMPRENDREZ BIENTÔT. COMME VOUS LE SAVEZ, SI VOUS N'OBTENEZ PAS CE QUE NOUS VOULONS, LA SANCTION SERA IMPITOYABLE.

JE SAIS. VOUS ME TUEZ, C'EST ÇA ?

NON, M.WINCH, PAS VOUS...

...LUI !

TAN !!....

SI VOUS NE NOUS APPORTEZ PAS CE QUE NOUS VOUS DEMANDONS DANS LES 48 HEURES, VOTRE AMI TAN MING T'SIEN MOURRA TRÈS LENTEMENT DANS LES PLUS ATROCES SOUFFRANCES. BONSOIR, MONSIEUR WINCH.

J'Y PIGE RIEN ! ...

IL A DISPARU ET PERSONNE NE L'A VU SORTIR DU RESTAURANT.

?

BAH, LARGO SAIT SÛREMENT CE QU'IL FAIT, VIENS MANGER, SIMON, CE CANARD LAQUÉ EST DÉLICIEUX.

JE SUPPOSE QUE TA COPINE ET TOI, VOUS LOGEZ À L'HÔTEL ?

LA CHAMBRE LA MOINS CHÈRE AVEC VUE SUR LE PUITS D'AÉRATION CENTRAL.

SUPER.

C'EST IDIOT, J'AI UNE GRANDE SUITE POUR MOI TOUT SEUL, AVEC VUE SUR LA BAIE ET UN LIT DE LA TAILLE D'UN COURT DE TENNIS.

TANT MIEUX POUR TOI, MAIS JE NE VOIS PAS EN QUOI CELA ME CONCERNE

ALLONS, INSPECTEUR PRINCIPAL TEXEL... TU SAIS TRÈS BIEN QUE JE SUIS FOU DE TOI.

J'AI VU ÇA À TON ABONDANT COURRIER. JE VAIS RÉFLÉCHIR À LA QUESTION, REPRIS DE JUSTICE OVRONNAZ.

HÉ, UNE MINUTE ...

JE NE VEUX PAS DORMIR TOUTE SEULE, MOI ! PAS DANS CET ENDROIT PLEIN DE... DE...

...DE MÉCHANTS CHINOIS SANGUINAIRES ? VOUS AVEZ RAISON, WILLEKE, C'EST DANGEREUX.

J'AI UNE GRANDE SUITE, MOI AUSSI. POURQUOI NE LA PARTAGERIEZ-VOUS PAS AVEC MOI ? NOUS ANNULERIONS VOTRE CHAMBRE, COMME ÇA, EN PLUS, ÇA VOUS FERAIT FAIRE DES ÉCONOMIES.

VOUS FERIEZ ÇA, SILKY ? COMME C'EST GENTIL !

EH BIEN, TOUT S'ARRANGE, ON DIRAIT. QU'EST-CE QU'ON A COMME DESSERT ?

28

VOILÀ. TU SAIS TOUT...

JE NE SAIS MÊME PAS OÙ J'AI ÉTÉ EMMENÉ. EN OUTRE, JE DOUTE QUE LA POLICE LOCALE AIT ENVIE DE SE MÊLER DES AFFAIRES D'UNE TRIADE.

SI JE PEUX T'AIDER...

C'EST-À-DIRE RIEN, À PART LA MENACE QUI PÈSE SUR TAN MING T'SIEN.

JE SUPPOSE QUE ÇA NE SERVIRAIT À RIEN D'ALLER TROUVER LES FLICS?

POUR LEUR DIRE QUOI?

MAIS TU NE LE PEUX PAS PUISQUE JE NE SAIS PAS MOI-MÊME CE QUE JE VAIS DEVOIR FAIRE. VA TE BALADER AVEC MARJAN, SIMON. MOI, JE VAIS ÉTUDIER LE DOSSIER QUE PENNY M'A ENVOYÉ PAR MAIL.

M. WINCH? JE SUIS TSAI LEE...

...LE FILS DE M. TSAI. TRÈS HONORÉ DE FAIRE VOTRE CONNAISSANCE.

29

31

J'AI LU TOUT CE QUI VOUS CONCERNAIT DANS LA PRESSE INTERNATIONALE. VOUS AVEZ EU UNE VIE HORS DU COMMUN, M. WINCH.

BAH, LES JOURNALISTES EXAGÈRENT TOUJOURS.

MÊME SI SEULEMENT LA MOITIÉ DE CE QU'ILS ÉCRIVENT EST VRAI, CE N'EST DÉJÀ PAS MAL.

SI L'ON VEUT. PUISQUE NOUS ALLONS ÊTRE ASSOCIÉS, APPELEZ-MOI DONC LARGO, LEE. APRÈS TOUT, NOUS SOMMES DE LA MÊME GÉNÉRATION.

AVEC PLAISIR, JE CONSTATE QUE VOUS AVEZ ADOPTÉ LES MOEURS AMÉRICAINES. J'AI MOI-MÊME FAIT MES ÉTUDES AUX ÉTATS-UNIS.

J'AI LU ÇA DANS LE DOSSIER.

VOUS ÊTES INGÉNIEUR EN AÉRONAUTIQUE ET VOUS AVEZ VOS BREVETS DE PILOTE DE JET ET D'HÉLICOPTÈRE.

EXACT. POUR TOUT VOUS DIRE, C'EST MOI QUI AI POUSSÉ M. TSAI À S'INTÉRESSER À L'AVIATION CIVILE.

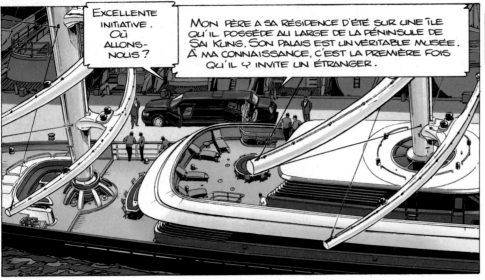

EXCELLENTE INITIATIVE. OÙ ALLONS-NOUS ?

MON PÈRE A SA RÉSIDENCE D'ÉTÉ SUR UNE ÎLE QU'IL POSSÈDE AU LARGE DE LA PÉNINSULE DE SAI KUNG. SON PALAIS EST UN VÉRITABLE MUSÉE. À MA CONNAISSANCE, C'EST LA PREMIÈRE FOIS QU'IL Y INVITE UN ÉTRANGER.

QUE ME VAUT CET HONNEUR ?

VOTRE RÉPUTATION, LARGO. VOUS NE VOULEZ PEUT-ÊTRE PAS L'ADMETTRE, MAIS VOUS N'ÊTES PAS N'IMPORTE QUI.

MON PÈRE EST TAOÏSTE. TOUT HOMME D'AFFAIRES QU'IL SOIT, IL EST RESTÉ TRÈS ATTACHÉ AUX ANCIENNES TRADITIONS. VOUS CONNAISSEZ LE TAOÏSME, LARGO ?

JE N'EN SAIS QUE CE QUE J'EN AI LU DANS LES LIVRES.

UNE MORALE MYSTIQUE INDIVIDUALISTE, INITIÉE PAR LAO TSEU AU 6e SIÈCLE AVANT NOTRE ÈRE, ET DONT L'ESSENCE EST DE CHERCHER LE TAO OU DAO, LA VOIE QUI MÈNERA L'HOMME VERTUEUX À L'HARMONIE AVEC L'ORDRE NATUREL DE L'UNIVERS.

PAS MAL.

EN FAIT, LA QUÊTE DU DAO EST EXTRÊMEMENT COMPLEXE. ELLE VISE À RETROUVER L'UNITÉ PRIMORDIALE PRÉSENTE AU CŒUR DE CHAQUE CHOSE, À L'IMAGE DU YIN ET DU YANG QUI NE S'OPPOSENT PAS MAIS SE COMPLÈTENT.

CE N'EST DONC PAS UNE RELIGION ?

AU DÉPART, NON. C'EN EST DEVENU UNE QUELQUES SIÈCLES PLUS TARD, COMME LE CONFUCIANISME, CAR LES GENS SIMPLES ONT BESOIN D'IDOLES À VÉNÉRER.

ET VOUS, VOUS ÊTES CROYANT, LEE ?

NON.

DISONS QUE JE CROIS EN D'AUTRES VALEURS QUE LE YIN ET LE YANG...

...AH, NOUS ARRIVONS...

L'ENDROIT ME PARAÎT BIEN GARDÉ.

IL L'EST...

...CES EAUX PULLULENT DE PIRATES ET L'ENLÈVEMENT DE MILLIARDAIRES EST DEVENU UN SPORT ASSEZ POPULAIRE CHEZ EUX.

VOUS NE M'ACCOMPAGNEZ PAS ?

CET HOMME VA VOUS CONDUIRE À LA RÉSIDENCE.

MON PÈRE A SOUHAITÉ VOUS VOIR SEUL.

JE RENTRERAI AVEC L'HÉLICOPTÈRE. BONNE SOIRÉE, LARGO.

BIENVENUE À TSAI ISLAND, MONSIEUR WINCH. VEUILLEZ ME SUIVRE, MON MAÎTRE VOUS ATTEND.

PARDONNEZ-MOI DE NE PAS VOUS AVOIR ACCUEILLI EN PERSONNE, M. WINCH, C'ÉTAIT L'HEURE DE MA MÉDITATION.

JE VOUS REMERCIE INFINIMENT D'AVOIR ACCEPTÉ MON INVITATION.

ET MOI DE ME L'AVOIR ENVOYÉE, M. TSAI.

VOTRE PALAIS, POUR LE PEU QUE J'EN AI VU, RECÈLE DE VÉRITABLES MERVEILLES.

J'APPRÉCIE VOTRE INTÉRÊT POUR LES TRÉSORS DE NOTRE GRAND PASSÉ, M. WINCH. MAIS MON BIEN LE PLUS PRÉCIEUX SE TROUVE ICI SOUS LA GARDE DE WANG LING-GUAN, LE GÉNÉRAL DU CIEL.

ET DE ZHEN WU, LE DIEU DU NORD. CE SONT LES GARDIENS DU TAO, DONT LES TROIS YEUX FOUILLENT SANS RELÂCHE LA TERRE, LE CIEL ET LE CŒUR DES HOMMES.

JE VAIS À PRÉSENT VOUS RÉVÉLER CE QU'ILS PROTÈGENT, L'ÂME MÊME DE NOTRE FOI. REGARDEZ...

CLIC

!?!

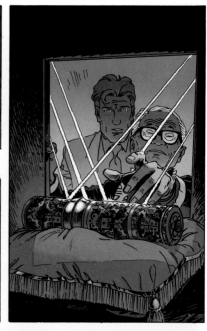

LE DAODEJING,

M. WINCH! LE LIVRE DE LA VOIE ET DE LA VERTU! TOUTE LA SAGESSE DE L'UNIVERS EN SEULEMENT 5 000 SIGNES TRACÉS SUR UN RUBAN DE SOIE PAR LE GRAND LAO TSEU LUI-MÊME IL Y A 26 SIÈCLES!

IL Y EN A EU ULTÉRIEUREMENT DE NOMBREUSES COPIES BIEN ENTENDU, MAIS CELUI-CI EST LE SEUL VÉRI-TABLE ORIGINAL.

TOUS LES MUSÉES DU MONDE SE RUINERAIENT POUR LE POSSÉDER.

JE LÈVE MON VERRE...

PARDONNEZ-MOI CE MÉPRISABLE ACCÈS DE VANITÉ, M. WINCH. MAIS JE SUIS TELLEMENT FIER DE POSSÉDER UN TEL JOYAU QUE JE N'AI PAS PU RÉSISTER À EN FAIRE ÉTALAGE À UN HOMME TEL QUE VOUS. VENEZ ALLONS DÎNER.

34

36

... À LA FUTURE TSAI WINCH AERONAUTICS LTD QUI, DANS UN AN TOUT AU PLUS, SERA UNE RÉALITÉ.

MAIS VOUS NE L'APPROUVEZ PAS, JE LE SENS. AURIEZ-VOUS QUELQUE RAISON DE VOUS MÉFIER DE NOUS ? LA CHINE EST UN GRAND MARCHÉ QUI S'OUVRE ENFIN AU MONDE OCCIDENTAL.

ET LE MONDE OCCIDENTAL UN GRAND MARCHÉ POUR LA CHINE.

HUM, HUM...

JE VOUS SENS RÉTICENT, M. WINCH. VOUS N'APPROUVEZ PAS CE PROJET DE JOINT VENTURE ?

JE... JE SUIS PERSUADÉ QU'IL SERA BÉNÉFIQUE POUR LES DEUX PARTIES, M. TSAI.

BIEN ENTENDU. LA ROUTE DU COMMERCE EST UNE VOIE À DOUBLE SENS. MAIS CHANGEONS DE SUJET. QUELLE IMPRESSION VOUS A FAITE MON FILS ?

IL M'A PARU INTELLIGENT, SYMPATHIQUE ET EFFICACE.

MERCI, J'AVOUE ÊTRE ASSEZ FIER DE LUI. QUE PENSERIEZ-VOUS DE LUI COMME DIRECTEUR GÉNÉRAL DE NOTRE PROCHAINE UNITÉ COMMUNE ?

CETTE DÉCISION RELÈVE DE VOUS ET D'ANDRÉ BELLECOURT, LE PRÉSIDENT DE NOTRE DIVISION AÉRONAUTIQUE.

CE BELLECOURT N'EST QUE VOTRE EMPLOYÉ, M. WINCH. VOUS ÊTES LE MAÎTRE. MAIS NOUS EN REPARLERONS DEMAIN MATIN. MADAME CHOO VA VOUS MENER À VOS APPARTEMENTS.

?

VOUS NE ME FAITES PAS RECONDUIRE À HONG KONG ?

LA MER DE CHINE N'EST PAS SÛRE APRÈS LE COUCHER DU SOLEIL. ET JE SUIS PERSUADÉ QUE VOUS NE REGRETTEREZ PAS VOTRE SÉJOUR ICI.

BONNE NUIT, M. WINCH.

CES JEUNES FILLES ONT POUR ORDRE DE SATISFAIRE TOUS VOS DÉSIRS.

...

... QUELS QU'ILS SOIENT.

J'AVAIS COMPRIS, MERCI. MON SEUL DÉSIR EST DE RESTER SEUL.

SI ELLES NE VOUS PLAISENT PAS, JE PEUX VOUS EN AMENER D'AUTRES. PLUS JEUNES SI VOUS LE SOUHAITEZ.

J'AI DIT MERCI, MME CHOO.

ET N'OUBLIEZ PAS DE REMERCIER VOTRE MAÎTRE DONT LA SOLLICITUDE ME CONFIRME QUE L'ESCLAVAGE N'A PAS ENCORE ÉTÉ ABOLI PARTOUT DANS LE MONDE.

... CE QUE VOIENT LES TROIS YEUX DES GARDIENS DU TAO.

ET MERDE!...

CLIC

K'AK

VOUS NE TROUVEZ PAS LE SOMMEIL, M. WINCH ?

!

37

REMETTEZ LE DAODEJING DANS SA NICHE, JE VOUS PRIE. AVEC PRÉCAUTION.

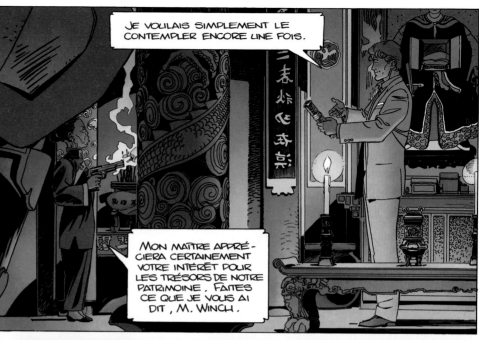

JE VOULAIS SIMPLEMENT LE CONTEMPLER ENCORE UNE FOIS.

MON MAÎTRE APPRÉCIERA CERTAINEMENT VOTRE INTÉRÊT POUR LES TRÉSORS DE NOTRE PATRIMOINE. FAITES CE QUE JE VOUS AI DIT, M. WINCH.

HOP ! UNE PASSE !

不

AH !

JE SAIS QUE CE QUE JE FAIS EST MOCHE, MME CHOO, MAIS J'Y SUIS OBLIGÉ. LA VIE D'UN HOMME EN DÉPEND..

DONNEZ-MOI CE ROULEAU.

JAMAIS !

JE VAIS ME DÉTESTER ENCORE PLUS POUR CE QUE VOUS ALLEZ M'OBLIGER À FAIRE, MME CHOO. DONNEZ-LE-MOI, JE VOUS EN SUPPLIE.

NON.

38

40

44

VOUS N'IMAGINIEZ TOUT DE MÊME PAS QUE JE LAISSERAIS LE VRAI DAODEJING À LA PORTÉE DU PREMIER VOLEUR VENU. CE QUE VOUS M'AVEZ DÉROBÉ EN TRAHISSANT MA CONFIANCE N'ÉTAIT QU'UNE VULGAIRE COPIE.

JE... JE VAIS VOUS EXPLIQUER, M. TSAI...

JE CROIS QUE CE NE SERA PAS NÉCESSAIRE.

MADAME CHOO...

NON, ATTENDEZ !...

AAH

VOUS ALLEZ FAIRE UN LONG VOYAGE DANS L'ESPACE ET DANS LE TEMPS, M. WINCH... UN TRÈS LONG VOYAGE.

DEUX JOURS ! CELA FAIT DEUX JOURS QUE WINCH A DISPARU !

C'EST INVRAISEMBLABLE !

43

45

VOTRE PÈRE EST LA DERNIÈRE PERSONNE À L'AVOIR VU, M. TSAI. REDITES-NOUS EXACTEMENT CE QUI S'EST PASSÉ.

IL ÉTAIT PRÉVU QUE LARGO PASSE LA NUIT SUR L'ÎLE. MAIS IL A INSISTÉ POUR RENTRER LE SOIR MÊME À HONG KONG.

MON PÈRE A ALORS MIS UNE VEDETTE HORS-BORD À SA DISPOSITION, AVEC UN MATELOT POUR LA PILOTER. APPAREMMENT, LA VEDETTE N'EST JAMAIS ARRIVÉE À DESTINATION.

ILS AURAIENT DONC FAIT NAUFRAGE ?

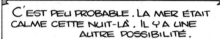

C'EST PEU PROBABLE. LA MER ÉTAIT CALME CETTE NUIT-LÀ. IL Y A UNE AUTRE POSSIBILITÉ.

LAQUELLE ?

LES PIRATES.

DEPUIS LE DÉPART DES BRITANNIQUES, ILS S'ENHARDISSENT À S'APPROCHER DE PLUS EN PLUS PRÈS DE NOS CÔTES.

VOUS PENSEZ QU'ILS AURAIENT PU L'ENLEVER ? NOUS N'AVONS REÇU AUCUNE DEMANDE DE RANÇON.

IL NE LEUR A SANS DOUTE PAS ENCORE DIT QUI IL ÉTAIT. MAIS S'IL A ÉTÉ CAPTURÉ, CELA NE SAURAIT TARDER. CES FORBANS ONT DES MÉTHODES ASSEZ ...HEM ...BRUTALES.

JE PRÉSUME QUE VOUS AVEZ AVERTI LA POLICE ?

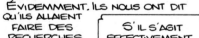

ÉVIDEMMENT. ILS NOUS ONT DIT QU'ILS ALLAIENT FAIRE DES RECHERCHES.

S'IL S'AGIT EFFECTIVEMENT DE PIRATES, NOTRE POLICE SERA IMPUISSANTE.

JE SUPPOSE QUE VU LES CIRCONSTANCES, NOUS ALLONS REPORTER NOTRE ACCORD DE JOINT VENTURE ?

POURQUOI ?

M. WINCH NOUS A CONFIRMÉ QUE VOUS AVIEZ TOUT POUVOIR POUR LE SIGNER.

COMME DISENT LES AMÉRICAINS, "THE SHOW MUST GO ON."

MON PÈRE ET MOI VOUS ATTENDONS DONC À LA DATE ET À L'HEURE PRÉVUES. D'ICI LÀ, NOUS METTRONS TOUT EN OEUVRE POUR RETROUVER LARGO WINCH.

VIVANT ...OU MORT.

QU'EST-CE QUE JE FAIS ICI !? VOUS N'AVEZ PAS LE DROIT ! J'AI COMMIS UN DÉLIT, C'EST VRAI, MAIS C'ÉTAIT À HONG KONG ET...

TAIS-TOI !

DEPUIS TON ÉVASION AVEC CE TRAÎTRE DE TAN MING T'SIEN, VOUS FIGUREZ TOUS LES DEUX SUR LA LISTE DES CRIMINELS RECHERCHÉS.

TU AS EU TORT DE REVENIR EN CHINE, WINCZLAV !

TON PETIT TOUR DE PASSE-PASSE MANQUÉ CHEZ M. TSAI A FAIT RESSORTIR TON DOSSIER ET TU AS ÉTÉ EXPÉDIÉ ICI POUR ÊTRE JUGÉ PAR UN TRIBUNAL DE LA RÉGION AUTONOME DU XIZANG. J'ESPÈRE QUE TU RESTERAS AVEC NOUS PENDANT TRÈS, TRÈS LONGTEMPS.

ÉCOUTEZ, JE...

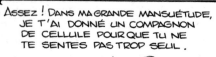

ASSEZ ! DANS MA GRANDE MANSUÉTUDE, JE T'AI DONNÉ UN COMPAGNON DE CELLULE POUR QUE TU NE TE SENTES PAS TROP SEUL.

EMMENEZ-LE !

TAN ?... TAN, C'EST MOI, LARGO...

AAAAHHH !

FIN DE L'ÉPISODE

JEAN VAN HAMME 15 AVR. 06 / PHILIPPE FRANCQ 31 JAN. 07

48

CONSOLIDATED CAPITAL STRUCTURE
in US$ mill.

TOTAL DEBT 10,578.6
LT DEBT 3,853.9 LT INTEREST 443.2

Leases, uncapitalized - Annual Rentals 86.3
Minority Interest 832.0

PREFERRED STOCK none
COMMON STOCK 510,545,455 (par value 8.25)

Alicia del FERRIL ARG

HOTELS
(HQ : Paris)

Gus FENIMORE US

SPORT & ENTERTAINMENT
(HQ : Chicago)

Waldo BUZETTI US

TV & RADIO
NETWORKS
(HQ : Los Angeles)

WINCHAIR AIRLINES
(HQ : Nassau)

Lucie CARMICHAËL TRIN

Dwight E. COCHRANE US

CENTRAL SURVEY &
ADMINISTRATION
(HQ : New York)

PRESS
(HQ : New York)

MERCHANT FLEET
(HQ : Panama)

Stephen G. DUNDEE US

Sir Basil WILLIAMS UK

EMPLOYEES

North America	170,322
Mid-& South America	51,451
Europe	152,027
Middle East	28,996
Far East	48,721
Australia & New Zealand	8,785
Pacific	2,021
Africa	17,740
TOTAL GROUP W	480,063